Le mystère du marronnier

Francisco Arcis

illustration de couverture
Marcelino Truong

MAGNARD

QUE D'HISTOIRES !
CM2

Pour Marie-Lise
Pour Isaline
Pour Jean

« Que d'histoires ! » CM2
animée par Françoise Guillaumond

Conception graphique :
Valérie Goussot et Delphine d'Inguimbert

© Éditions Magnard, 2005
5, allée de la 2ᵉ DB
75015 Paris

www.magnard.fr

1

Mon arrière-grand-père vient de mourir. Tout le monde, dans la famille, l'appelait le yayo, à cause de son origine espagnole.

J'ai tout juste douze ans et il représente pour moi l'image un peu floue d'un vieux bonhomme, fort comme un roc, presque invulnérable.

Il est mort, alors que personne ne s'y attendait. Loin de son foyer, il est allé finir ses jours de façon brutale en Andorre. C'est là qu'il passait toutes ses vacances, depuis un nombre d'années incalculable, et pour rien il n'aurait changé. Une crise cardiaque, dans le hall de son hôtel, alors qu'il arrivait à peine, l'a terrassé.

Le yayo. Il était l'une des branches de cet arbre un peu confus qui forme ma famille. Elle vient de se briser.

L'ancien moulin, au bord du Doubs, semble avoir capturé le temps. L'immense bâtisse, où autrefois on réduisait les écorces de chêne en poudre, qui servait à tanner les peaux, est toujours habitée par ma grand-mère. Elle y est née et compte bien y finir ses jours. C'est peut-être pour cela qu'elle ne la quitte presque jamais.

Lorsque nous allons à Saint-Hippolyte au mois d'août, elle vient m'éveiller le matin, et ensemble nous partons aux champignons. Dans les prés, autour de sa maison, alors que mes parents dorment encore, je la laisse me tenir la main, tandis que de l'autre elle porte un panier d'osier.

C'est aussi l'occasion de revoir les membres de ma famille maternelle. Les frères et sœurs de ma mère, leurs conjoints, leurs enfants. Beaucoup de monde en réalité : ma mère est la cinquième d'une famille de sept.

Autant le dire, je ne manque pas d'oncles, de tantes et de cousins. Pourtant, je me souviens de très peu d'entre eux. J'ai toujours vécu à Paris, et nos courtes rencontres, durant les vacances, n'ont pas suffi à créer un réel lien, qui puisse durer au-delà de l'été.

Il en est un, cependant, avec lequel je me sens bien. C'est mon oncle François. Lui est différent des autres. François semble se plaire davantage en la compagnie d'enfants qu'en celle de ses beaux-frères et belles-sœurs. C'est mon oncle par alliance, le mari de ma tante Marie-Lise.

Depuis quelques années déjà, il m'emmène chaque été faire un tour de moto, une vieille BMW, qu'il a entièrement retapée, et qui pétarade dans la cour de l'ancien moulin. Il conduit ainsi, l'un après l'autre, tous les gosses présents. L'oncle François est un artiste. Il gagne sa vie en écrivant des livres pour enfants, et en donnant des leçons de guitare. Quelquefois, le week-end, il remplace des musiciens dans des orchestres de bal.

Ma tante et lui viennent souvent chez ma grand-mère. Ils habitent à quelques kilomètres de Saint-Hippolyte, un village où ils ont fait construire un gros chalet.

Devant l'ancien moulin s'élève un gigantesque

marronnier. Chacun le trouve inutile : il fait de l'ombre à la façade principale ; il amène du froid ; un jour de vent, il va finir par s'abattre sur la maison, ce qui, vu sa taille, n'est pas impossible : il dépasse largement le toit, et doit bien en tout mesurer près de trente mètres de hauteur.

2

Cette fois-ci, la famille se réunira autour de la disparition du yayo et les regards s'interdiront de se réjouir. Pourtant, les occasions de se revoir ne sont pas nombreuses, et je peux supposer que l'arrière-grand-père n'aurait pas aimé l'ambiance de ces journées.

Nous partons sitôt la nouvelle connue, je suis autorisé à louper les cours du vendredi, et jeudi en fin de soirée nous arrivons à Saint-Hippolyte. Le yayo est mort la veille, mais des problèmes administratifs bloquent le cercueil en Andorre, et nous ignorons quand il pourra être rapatrié en France.

La soirée est sinistre, ma grand-mère est assommée par la perte de son père, et je comprends que le temps n'y change rien : elle restera toujours sa petite fille.

Épuisé par le voyage, je me couche tôt, même si le sommeil tarde à me vaincre. Mes parents restent encore un long moment auprès de ma grand-mère, je peux entendre leurs voix en sourdine au rez-de-chaussée.

J'ai pu voir la peine de ma mère, celle encore plus intense de ma grand-mère, et je me demande si moi-même je ne devrais pas ressentir du chagrin. Je m'endors enfin sans répondre à cette question.

C'est déjà le matin, la nuit est passée sans que je m'en rende compte. Je dévale les escaliers et me retrouve nez à nez avec mon oncle François.

– Tiens, tu es là, canaille ?

Il me tend la main, puis, prenant la mienne, m'attire contre lui pour m'embrasser.

– Bonjour François.

– Dis donc, tu es tombé du lit ?

Je suis en pyjama, pieds nus, les cheveux en bataille. Je reconnais la voix de ma tante Marie-Lise, depuis la cuisine. Je vais la saluer, et je trouve ma grand-mère, les yeux rouges mais les traits plus apaisés, comme si sa peine était moins forte que la veille.

Le reste de la famille arrive peu à peu, et à midi, nous sommes bien une quinzaine autour de la grande table de la salle à manger. Ma grand-mère a préparé du lapin et de la purée, et je crois que de s'occuper ainsi de ses enfants lui a permis d'oublier un peu la raison de leur réunion.

Comme toujours dans ces cas-là, le souvenir de l'oncle Léon est ravivé, et ses exploits de résistant sont bientôt évoqués. Il s'agit en fait de mon grand-oncle, le frère de ma grand-mère, mais comme tous ici je l'appelle l'oncle Léon. Son nom revient souvent lorsqu'il est question de la dernière guerre, celle de 39-45. L'oncle Léon en a été l'un des héros de l'ombre. Il vivait alors à Saint-Hippolyte, dans ce moulin proche de la frontière, d'où il participait à un réseau de résistants qui organisaient des passages en territoire suisse.

L'oncle Léon a été un passeur qui, risquant sa vie pour celle des autres, a ainsi sauvé des dizaines de familles persécutées.

C'est là un sujet qui m'intéresse particulièrement. Tous les détails concernant son activité clandestine durant la guerre me passionnent. Ma grand-mère est pressée de délivrer certains souvenirs et elle ne se fait pas prier longtemps. En réalité, elle-même était une jeune enfant, elle n'a engrangé que des images un peu floues, des familles qui couchaient à même le sol, parfois dans la paille de la grange, et qui avaient disparu le lendemain. Afin de ne pas mettre les siens en danger, l'oncle Léon ne disait rien de ses passages, et les gens en transit étaient présentés comme de simples promeneurs. Mais ma grand-mère savait qu'il s'agissait d'autre chose, et lorsque des Allemands venaient tourner autour de la maison, elle voyait bien son frère s'enfuir droit dans la forêt, et ne revenir que la nuit, en catimini. Pourtant, il ne manquait jamais de venir lui coller un bec sur la joue, croyant qu'elle dormait.

– Tout de même, dit mon oncle Denis, on n'a jamais su qui l'a dénoncé.

– Mais pourquoi t'obstines-tu à croire qu'il a été dénoncé ? reprend ma grand-mère. Tu sais, en ce temps-là, les Allemands veillaient au grain, et il n'était pas simple de leur échapper.

– Je suis certain, poursuit Denis, que le Léon était trop malin pour se faire prendre. Pour moi, un salaud de collabo l'a vendu aux Allemands, c'est la seule explication. Qu'est-ce que t'en penses, François ?

François paraît sortir d'un songe, occupé qu'il est à jouer avec le bouchon de la bouteille de vin.

– Écoute, je ne sais pas. Comment ça s'est passé, au juste ?

– Il a été arrêté un lundi matin, récite ma grand-mère, les yeux dans le passé. Un officier de la Gestapo est arrivé avec cinq hommes. Le jour venait à peine de se lever, je m'en souviens comme si c'était hier. Ils sont entrés en criant, et ont commencé à fouiller partout. Ils ont d'abord pris un couple de Juifs, qui dormaient à la cuisine. La Laure, ma maman, leur disait de s'en aller. Elle savait bien qu'ils venaient pour lui, pour son fils, mais elle espérait qu'ils partiraient. Ils sont montés à l'étage. Ils ont ouvert la porte de ma chambre à la volée, j'ai bien cru que j'allais mourir de peur. Ils l'ont pris alors qu'il enjambait la fenêtre. Le pauvre, il se serait cassé le cou à cette hauteur.

À évoquer ces souvenirs de guerre, ma grand-mère n'y tient plus, et fond en larmes.

– C'était en 43, achève Denis. Les Allemands l'ont tout de suite embarqué. Il n'est jamais revenu.

François hoche la tête, pensif. Tout le monde s'est tu, laissant place aux pleurs de ma grand-mère. Ses filles l'enlacent, puis la conversation reprend, mais cette fois sans gaieté.

Comprenant que je n'en saurai pas davantage sur les activités de l'oncle Léon, je décide d'aller prendre l'air.

Derrière la maison s'étendent d'anciens murs en pierre, qui ont autrefois été les fondations d'une grange, détruite depuis longtemps par le feu. Au bout de ces ruines s'élève un très vieux chalet, inhabité depuis la guerre. Le premier étage est composé de pierres de taille, et les deux autres de bois très sombre, presque noir. Les vitres sont à peu près toutes cassées, et seuls quelques rideaux sales témoignent de son ancienne vie.

J'ai toujours vu ce chalet à cet endroit. Jusqu'à présent, je ne me suis jamais risqué à m'y aventurer. Mais ce jour-là, j'ai envie de le voir de plus près.

J'atteins bientôt le parc du chalet, en franchissant une grille entrouverte, qui grince un peu sur ses gonds rouillés. Le jardin est devenu un amas de broussailles qui ralentissent ma marche vers la porte d'entrée. L'endroit est sinistre, et même si je n'ai pas franchement peur, je ne suis pas non plus tout à fait rassuré. Je parviens enfin jusqu'à la lourde porte. Une poignée en fer forgé permet d'ouvrir, mais j'ai beau m'y suspendre, rien à faire : elle est condamnée. Bien entendu, j'aurais dû y penser.

Pourtant, je trouve rageant d'être arrêté maintenant, et je me mets en devoir de dénicher un autre accès.

Je contourne la bâtisse, et découvre qu'à l'arrière les battants d'une fenêtre aux vitres éclatées semblent libres. Elle se trouve à deux mètres environ du sol, mais les pierres disjointes du bas permettent une brève escalade. Rapidement, je constate qu'en poussant les carreaux je peux pénétrer dans une salle poussiéreuse et vide.

Je saute sur le plancher fatigué, puis mes pas résonnent contre les cloisons et sur le plafond en plâtre. Une porte de communication me permet d'accéder à un hall et de me retrouver juste derrière la porte d'entrée. De là s'élève un long escalier en bois. Je le gravis lentement, mes yeux s'habituant peu à peu à la pénombre. Après l'étage, je poursuis mon ascension vers ce qui doit être un grenier. La pente est devenue plus raide, et je me retrouve vite devant une autre porte, qui s'écarte doucement.

L'endroit n'est pas aussi sombre que je l'avais imaginé. De nombreuses fentes dans le toit laissent filtrer les rayons du jour, et une petite fenêtre, en face de l'entrée, permet d'y voir clair. Du reste, il n'y a pas grand-chose à voir.

Avançant avec précaution sur les planches vermoulues du plancher, j'inspecte rapidement le grenier. La visite me déçoit. J'avais supposé que le vieux chalet devait contenir des merveilles du temps passé, peut-être même un trésor caché. Mais là, même avec beaucoup d'imagination, il faut renoncer à toute idée de découverte.

Je suis sur le point de revenir sur mes pas lorsque mon regard est attiré par la petite fenêtre. Elle doit être la seule de la maison à avoir conservé tous ses carreaux intacts.

Les vitres sont tellement sales que c'est à peine si on devine le paysage au travers. J'entreprends d'en nettoyer une portion. La fenêtre est située sur la façade qui donne directement sur la maison de ma grand-mère.

Pourtant, j'ai du mal à reconnaître les lieux. Sans doute, je n'ai jamais vu l'ancien moulin depuis cet endroit, mais sans que je sache au juste pourquoi, le paysage me semble différent. La maison est bien là, la rivière aussi, qui s'écoule, paisible. Quelques maisons, sur le coteau en face, mais bien moins que ce que j'attendais.

Et soudain, je comprends enfin ce qui me tourmente autant. Devant la maison, à sa place habituelle, se dresse le marronnier. Malgré ma position en hauteur, je ne vois que le dessus des branches. Le marronnier n'atteint même pas le sommet du moulin.

3

Je reste un long moment à me demander ce que cela signifie. Car même en considérant que je me tiens un peu plus haut que le toit du moulin, il n'y a pas d'erreur possible : le marronnier devant mes yeux est bien plus petit que celui que j'ai quitté à peine un quart d'heure auparavant. Puis j'observe avec davantage d'attention le paysage tout autour, et d'autres éléments viennent ajouter à mon étonnement. De l'autre côté de la rivière doit se trouver un grand magasin de meubles. Or, on n'y distingue qu'une épaisse forêt, recouvrant une bonne partie de la colline, là où plusieurs maisons ont pourtant été bâties.

En y regardant de plus près, le moulin, lui aussi, est différent. Le chemin qui y mène est aujourd'hui creusé par le passage des voitures, et deux lignes de terre entourent une mince bande d'herbe. Là, l'accès est entièrement vert. Et au bout, je peux discerner un portail en bois, alors que seuls des gonds rouillés subsistent encore.

J'essuie une nouvelle fois la vitre, pour me convaincre que je ne suis pas victime de mon imagination, et je dois bien me rendre à l'évidence : certaines choses sont modifiées.

Un mouvement attire mon regard. Mon cœur bat un peu plus fort, et je me rejette en arrière. Je viens de deviner qu'il ne s'agit pas d'une simple image figée, mais bien d'une scène de vie qui se déroule sous mes yeux. Une scène de vie... différente. C'en est trop d'un seul coup. Sans réfléchir, je dévale les escaliers, me cogne le nez à la lourde porte d'entrée, avant de me souvenir qu'elle est condamnée.

Je dois sortir du chalet. Je rejoins la pièce par laquelle j'ai pénétré, et enjambe une nouvelle fois l'ouverture.

Le jardin est toujours à l'abandon, les ronces aussi piquantes, et la grille aussi grinçante.

À l'évidence, tout est redevenu comme avant. Et les détails qui m'ont troublé par la petite fenêtre ont repris leur forme actuelle. Le marronnier, splendide, a doublé de taille, des voitures circulent sur la route, devant le grand magasin de meubles, et le portail en bois a disparu.

Je suis partagé entre l'envie de retrouver mes parents, ma grand-mère, pour m'assurer qu'ils sont bien là, et l'envie de retourner dans le chalet, découvrir à quoi ressemble l'ombre que j'ai vue bouger.

Soudain, exactement au même endroit, une silhouette sort de la maison, traverse la cour, et va s'asseoir sur le banc devant le marronnier. Il m'a semblé reconnaître mon oncle François. Je décide de le rejoindre et me retourne pour observer la petite fenêtre, dont je peux remarquer le carreau nettoyé.

– Ils ont commencé à parler politique, alors moi, tu comprends, je préfère prendre l'air, dit François avec un clin d'œil.

Je ne sais pas si je dois lui parler de ma troublante découverte. D'ailleurs, assis à son côté sur le banc, j'ai presque l'impression d'avoir rêvé ces moments. Pour l'instant, je juge plus prudent de ne rien dire, en attendant de retourner vérifier, un peu plus tard.

Nous nous taisons. L'oncle François doit être la seule personne qui ne se sente pas obligée de me poser des questions bêtes, du genre : Ça va l'école ? Tu aimes le foot ? C'est également la seule personne avec qui je ne me sens pas gêné de rester silencieux.

– Tu penses aussi que l'oncle Léon a été dénoncé ? je lui demande.

– Je ne sais pas. C'est bien possible. Ce qui est sûr, c'est que son arrestation a empêché pas mal de gens de rejoindre la Suisse, et sans doute de sauver leur peau.

– D'après toi, quel âge il a le marronnier ?

– Ce marronnier ? Je me suis laissé dire qu'il est presque centenaire. Il a été planté le jour de la naissance de l'ancienne propriétaire.

Une idée me traverse l'esprit, que je tente de mettre en ordre.

– Donc en fait, il y a environ cinquante ans, il était moitié moins haut.

L'oncle François lève la tête, et observe le grand arbre, avant de répondre :

– Je suppose que oui. C'est quoi toutes ces questions, Pierre ?

– Oh, pour rien.

– Il y a environ cinquante ans, comme tu dis, c'était la guerre. À mon avis, ça devait chauffer dans le coin.

Puis il se met à fredonner un air de Léo Ferré, qu'il aime spécialement :

C'était un temps déraisonnable,
On avait mis les morts à table,
On faisait des châteaux de sable,
On prenait les loups pour des chiens...

– Léo Ferré avait connu la guerre ?

– Sans doute, répond-il. Mais ce ne sont pas ses paroles. Elles sont de Louis Aragon, un autre sacré poète.

L'oncle François repart dans ses rêveries, et je ne me sens pas le courage de lui parler de la petite fenêtre dans le grenier du chalet.

Je laisse là mon oncle, qui ne s'aperçoit pas de mon départ, et peu après je suis dans la pièce du rez-de-chaussée. L'escalier rapidement gravi, je franchis la porte du grenier, que j'ai, dans ma précipitation, laissée ouverte.

La petite fenêtre est là qui m'attend. Au premier regard, je retrouve tous ces détails qui me troublent encore. Le marronnier est bien plus petit, le magasin de meubles et plusieurs maisons sont invisibles.

Le système d'ouverture est inutilisable. J'aurais aimé écarter les battants afin de comparer l'image réelle avec celle que je vois à travers la vitre. J'ai peur de trop forcer, et peut-être de casser l'un des six carreaux.

Tout est calme. Je guette l'angle où j'avais deviné un mouvement, mais rien ne se produit. Lentement, une explication commence à se construire dans mon cerveau. Mais elle est à ce point incroyable que je refuse encore de la considérer possible.

Et soudain, tout s'anime d'un seul coup. C'est d'abord le bruit, étourdissant. Un énorme coup de canon, qui ébranle les murs en bois du chalet et secoue la poussière de la charpente. Puis des coups de fusil. Une mitraillette. Et des cris, des mots durs que je ne comprends pas.

À la première détonation, j'ai reculé, les mains sur les oreilles. Avec prudence je rejoins mon poste d'observation. Sur la petite route tranquille qui longe le moulin et le chalet où je me trouve, passent en courant des hommes en uniforme. Une dizaine. J'ai vu assez de films de guerre pour reconnaître les soldats allemands de la Seconde Guerre mondiale. Ils ont tous un fusil à la main, et hurlent des paroles hachées. Vient à leur rencontre un véhicule bâché, qui s'arrête juste à leur hauteur. La camionnette embarque les hommes à pied, fait demi-tour, et repart d'où elle était venue, jusqu'à disparaître hors de ma vue.

Je me laisse tomber sur les genoux. Un tremblement incontrôlable me parcourt. Plus que la peur, c'est bien l'invraisemblance de la situation qui m'envahit, et me tourne la tête.

Je devine enfin que, grâce à je ne sais quel procédé, c'est bien le passé que je vois au travers des carreaux. J'en ai eu l'intuition en parlant avec mon oncle François, et là, tout concorde. Le marronnier plus jeune d'un demi-siècle, le magasin de meubles inexistant, et les maisons sur le coteau pas encore construites ; l'absence de voitures sur la route, elle-même plus étroite que de nos jours.

De nos jours...

Oui, toute l'explication de l'incroyable phénomène tient dans cette phrase. Je vois le passé par la fenêtre du chalet, je vois une époque que je n'ai jamais connue, celle de l'enfance de ma grand-mère, celle de la guerre de l'oncle Léon...

4

Durant de longues minutes je reste là, le regard fixé sur l'ancien moulin. J'entends encore des tirs, mais plus lointains. Un peu plus tard, un autre véhicule, semblable au premier, avance au ralenti devant la maison. Il vient de l'extrémité de la route qui est aujourd'hui sans issue. Avant, elle menait à Bief, un village voisin. Autour de la maison, rien ne bouge. J'aperçois juste un chat. Avec lenteur, il traverse la cour, grimpe le talus, et disparaît dans la forêt.

Je pourrais rester des heures à contempler mon incroyable cinéma rétro, et à dénombrer d'autres détails du passé. La forêt elle-même n'est pas identique. Au nord, les épais feuillus ont été depuis remplacés par une longue sapinière. Plusieurs maisons n'existaient pas, alors que d'autres ont disparu. Je peux aussi voir la roue, sur le côté est du moulin, qui servait à actionner le pilon.

Puis le froissement des feuilles, dans la forêt tout près de la maison, attire mon regard. Soudain, je le vois : c'est un homme, plutôt jeune. Il est vêtu d'habits sombres, une casquette sur le crâne, et lance des regards autour de la maison, avant de sauter le talus, presque aussi vite que le chat l'avait grimpé. Il regarde encore derrière lui, semble écouter attentivement, puis s'élance dans les escaliers. Je le perds alors de vue, les escaliers étant protégés par un balcon fermé, mais je peux supposer qu'il est entré dans la maison.

J'attends encore un quart d'heure, mais plus rien ne se produit.

L'observation est tout simplement fascinante. Je ne m'en lasse pas, mais j'aimerais à cet instant précis pouvoir partager cette fabuleuse découverte. Et pourtant, je n'imagine pas amener mes parents avec moi. J'ai peur d'abord qu'ils refusent de me suivre, qu'ils me disputent pour mon entrée illégale dans le chalet. Et comment vont-ils réagir en découvrant la fenêtre et son fabuleux pouvoir ?

La solution me vient comme une évidence : l'oncle François. Il n'est pas trop adulte, et déjà plus un enfant.

En dégringolant les marches de l'escalier je me demande comment je vais lui présenter tout ça. Le plus compliqué va être de le persuader de pénétrer à son tour dans le chalet. Après tout, il n'y a pas d'effraction, puisque la fenêtre du rez-de-chaussée n'était pas verrouillée. Bon, j'ignore si l'argument serait suffisant aux yeux de la loi, mais je préfère ne pas trop y penser.

François est toujours sur son banc, les bras étendus de chaque côté du dossier. Il me regarde arriver, l'air amusé.

– Holà ! On dirait que tu viens de rencontrer le diable en personne !

Je dois en effet avoir conservé sur le visage tout mon étonnement.

– Tu ne crois pas si bien dire ! je lui lance, essoufflé.

– Quoi, tu as vraiment rencontré le diable ? plaisante-t-il, le ton faussement sérieux.

– Écoute, François, il faut que je te montre quelque chose d'incroyable. Mais il faut d'abord me promettre de n'en parler absolument à personne. Je suis sérieux, c'est un truc que tu ne peux même pas imaginer. Mais tu dois garder le secret, c'est très important.

– Hum, les secrets des adultes, je m'en moque. Mais un secret d'enfant, ça a trop de valeur pour que je prenne une décision à la légère. Je ne voudrais pas être obligé de trahir ma parole. Tout d'abord, tu m'assures qu'il n'y a rien d'illégal dans ton secret ?

– Euh, non, pas vraiment.

– J'en étais sûr ! Comment ça, pas vraiment ? C'est illégal ou ce n'est pas illégal ? C'est l'un ou l'autre, mais pas les deux à la fois, ou ni l'un ni l'autre. Décide-toi.

– Oh, après tout, laisse tomber, je me débrouillerai tout seul.

– Non, attends. Tu m'en as trop dit, ou pas assez. Dis-moi ce qu'il y a d'illégal dans ton secret, et je te dirai si je peux me taire.

Ces adultes ! Il suffit de les vexer un peu et ils deviennent tout de suite coopérants.

– Je voudrais juste que tu m'accompagnes dans le vieux chalet. Au grenier, j'ai trouvé une fenêtre qui doit être... magique, ou quelque chose dans le genre.

– Magique ? Tu te moques de moi ?

– Suis-moi, et tu verras si je me moque de toi.

– Mais attends, ça signifie que tu es entré dans le chalet, n'est-ce pas ?

– Ben oui. Mais je n'ai rien fracturé, je suis entré par une fenêtre, derrière, qui n'était pas fermée.

– Oui, mais tout de même, c'est une propriété privée, on n'a pas le droit d'y pénétrer sans l'autorisation des...

– Oh, la barbe. Tu vas me dire que tu ne fais jamais rien d'interdit, toi ?

Argument suprême et généralement définitif !...

François me regarde en souriant. Comme prévu, la phrase a coupé net ses protestations.

– Bon, je vais avec toi, mais uniquement pour

vérifier que tu ne fais pas de bêtises plus grosses que toi. On est bien d'accord ?

L'instant d'après, nous gravissons ensemble le chemin. L'avoir à mes côtés me rassure et en même temps m'excite davantage. Pourvu que la fenêtre fonctionne toujours, autrement j'aurais l'air fin !

À l'intérieur, François s'arrête à chaque palier, pénètre dans les chambres, en fait le tour, bien plus fouineur que moi.

– C'est gigantesque ici. Tu sais, c'est amusant, j'ai souvent eu envie de faire ça, mais je n'ai jamais osé. En fin de compte, tu dois être une sorte de délinquant juvénile, je suppose.

– Et alors toi, tu dois être un délinquant sénile. Je suppose.

– Très drôle. Avance, graine de crapule, montre-moi ta découverte magique que je rigole un peu.

Nous parvenons dans le grenier. La hauteur des poutres permet de se tenir debout, et François avance prudemment, faisant à chaque pas gémir une lame de plancher. Il pose les yeux partout, et découvre même dans la charpente un nid d'oiseaux abandonné.

Puis il s'approche de la petite fenêtre, et, se baissant, considère la vue au travers du carreau que j'ai nettoyé. Je retiens mon souffle, observant ses traits. Il se retourne enfin, et je devine à sa grimace qu'il n'a rien vu de particulier.

– C'est magique, tu as raison. Par la vitre, je vois l'extérieur. Je suis désolé, mais je ne peux pas garder un tel secret, tu as découvert que le verre est transparent, et...

– Arrête, François, tu n'es pas marrant. Regarde encore, que penses-tu de la taille du marronnier ?

Il se replonge dans l'examen du paysage, et je vois immédiatement que j'ai fait mouche. L'expression de son visage se modifie. Il me questionne du regard, puis se redresse, nettoie un carreau supérieur avec la manche de son pull, et se livre à une analyse approfondie de l'image qu'il a devant les yeux. Je décide de poursuivre :

– Et que penses-tu du magasin de meubles, en face ? Et du magnifique portail en bois devant la maison ?

– Tais-toi, Pierre, j'essaye de comprendre.

– Tu n'as pas bougé du banc, tout à l'heure, pas vrai ?

– Non, pourquoi ?

– Parce que pendant que tu étais tranquillement assis, des soldats allemands sont passés sur la route, ils ont tiré au fusil mitrailleur, un fourgon est venu les ramasser juste devant la maison, là où tu devrais voir la boîte aux lettres. Ah oui, c'est vrai, il n'y a pas de boîte aux lettres. Et après, un homme a dévalé le talus, il venait de la forêt, ensuite il est monté par le balcon. Tu n'as rien vu ?

– Qu'est-ce que ça veut dire, Pierre ?

– C'est pourtant simple : cette fenêtre permet non seulement de voir à travers elle, mais surtout de voir le passé.

– C'est simple, c'est simple. Tu en as de bonnes ! Je n'arrive pas à le croire. Eh, regarde,

me lance-t-il, affolé, là-bas, sur la nationale,
des blindés !

5

Traversant la porte du grenier, il se précipite à l'étage inférieur, dans l'une des chambres dont les fenêtres se trouvent sur la même façade. Je le rejoins rapidement. Il va de l'une à l'autre pièce. Les carreaux, à l'exception d'un seul, sont tous éclatés sur les deux fenêtres. Et nous pouvons au premier coup d'œil nous apercevoir que seules les vitres du grenier possèdent cette étonnante faculté. L'extérieur que nous voyons est bien celui d'aujourd'hui.

François remonte dans le grenier. Nous suivons, ébahis, la longue colonne de chars, qui défilent avec un bruit d'enfer sur la route principale. Ils sortent de Saint-Hippolyte qu'ils ont dû traverser et se dirigent vers le nord, vers l'Alsace. J'en compte une trentaine, et leur vision a quelque chose d'effrayant

– C'est déraisonnable, dit mon oncle.

C'est bien le mot que je cherchais.

Lorsqu'ils sont hors de vue, le vacarme de leur déplacement dure encore un long moment. Puis le calme revient, progressivement. Soudain, François me tire par la manche.

— Regarde, là, devant la maison.

— Oui, c'est lui qui est entré tout à l'heure.

Le même jeune homme sort par le balcon, puis traverse la cour en se cachant, et se perd dans la forêt, prenant le chemin inverse.

— Bon sang, souffle François, on dirait l'oncle Léon.

— Tu es sûr ? dis-je, tout excité à cette idée.

—Je n'ai vu qu'une ou deux photos de lui, pendant la guerre. Il avait alors une vingtaine d'années. De toute façon, ce serait normal, il habitait là.

— Mais pourquoi il se cache comme ça ?

— Il était probablement déjà passeur, et sans doute recherché par les Allemands. C'est même étonnant qu'il se risque à découvert, en plein jour.

— Peut-être qu'il organise un passage.

– Oui, c'est possible. Il a dû venir préparer le terrain. En parler avec sa mère. C'est fascinant. Tu te rends compte, Pierre, nous assistons à l'histoire en direct.

Immobiles, nous scrutons les environs durant près d'une demi-heure. À part une moto et son side-car sur la route nationale, nous ne décelons plus aucun mouvement.

– Tu crois que ça pourrait avoir lieu cette nuit ? dis-je, le regard toujours rivé sur le moulin.

– Quoi donc ?

– Le passage de l'oncle Léon. Tu crois que c'est pour cette nuit ?

– Sûrement. Je sais qu'il amenait des petits groupes, parfois des familles entières. Ils restaient une nuit ou deux, pour se reposer, manger un peu, se laver. Ils partaient toujours le soir, et traversaient la frontière à la nuit. En Suisse, c'est un autre passeur qui les prenait en charge. Qu'est-ce que tu as en tête ?

– Ben, vous allez dormir ici, non ?

– Et alors ?

– Oh, ne fais pas l'imbécile, tu m'as compris.

– Tu penses que je vais me lever avec toi cette nuit, pour venir me geler les miches dans ce chalet, à guetter un passage de l'an quarante ?

– Oui.

– Bon d'accord. Surtout, on ne dit rien à personne. On se couche comme prévu, je te réveillerai.

Nous décidons de lever le camp et d'aller retrouver le reste de la famille, qui doit encore être à table, à refaire le monde.

En effet, dans la fumée des cigares et l'odeur des digestifs, mes autres oncles et mon père sont encore en cercle autour de la table familiale, tandis que mes tantes, ma mère et ma grand-mère finissent la vaisselle.

– François ! lance Gérard, l'aîné des fils, on a eu des nouvelles d'Andorre. Le corps sera rapatrié demain. L'enterrement se fera dans l'après-midi, on a prévenu le curé.

– Parfait, dit François en me jetant un regard, dans ce cas, si vous êtes d'accord, Mamie, on couchera là.

– Bien sûr, bien sûr, répond ma grand-mère,
il y a de la place.

– Vous avez toujours, demande François à ma
grand-mère, ces photos de Léon, pendant la
guerre ?

– Oui, je les ai dans ma chambre. Tu voudrais
les voir ?

– J'en ai parlé à Pierre, et il serait curieux de
voir à quoi il ressemblait.

– Je vais les chercher.

Ma grand-mère revient avec une vieille boîte à
biscuits en fer-blanc, dans laquelle elle entre-
pose toutes ses photos, depuis sa jeunesse.
C'est une véritable mine, sur laquelle se jettent
avidement les enfants de la famille.

François se lance dans la mêlée, et a bien du
mal à extraire deux photos en noir et blanc.
Nous nous éloignons du centre de l'émeute et
nous installons sur la table de la salle à manger.
Ma grand-mère, discrètement, nous y rejoint.

Ce sont deux portraits, le premier en pied.

L'oncle Léon y apparaît vêtu d'un pantalon un peu trop large, d'une chemise sombre, les mains dans les poches et sur la tête un béret.

– C'était le jour de ses vingt ans, se rappelle ma grand-mère. Il était allé chez le photographe, à Pont-de-Roide, en vélo. La Laure a râlé quand elle a vu le cliché, parce qu'il avait gardé son béret, et qu'il l'avait mis de travers, comme un mauvais garçon.

– C'est l'époque où il passait ?

– Oui, d'ailleurs, la Laure était dans tous ses états. Elle avait peur qu'il se fasse ramasser sur la route. Sa grande chance, c'est que les Allemands ne le connaissaient pas. Il se cachait toujours, et même si la Gestapo savait qu'il y avait des passages en Suisse, ils ne connaissaient pas les passeurs. Denis a peut-être raison, dans le fond, il a sûrement été dénoncé. Peu de temps après, il a été pris.

Le deuxième cliché montre un portrait, coupé aux épaules. L'oncle Léon y paraît souriant. Je le trouve âgé, pourtant ma grand-mère m'apprend qu'il avait un an de moins que sur l'autre photographie. Il est nu-tête cette fois, et porte de fines lunettes.

Ma grand-mère, appelée par ses filles, retourne à la cuisine. Elles ont trouvé des photos de la famille, ainsi que du grand-père défunt.

Je dois alors admettre, sous l'œil interrogatif de François, que le personnage aperçu depuis la fenêtre du chalet est très semblable à l'homme en pied sur la photo. L'oncle François est du même avis. Du reste, qui d'autre, lui ressemblant autant, pouvait fréquenter la maison à cette époque ?

Cette certitude donne une dimension supplémentaire à ma découverte. Ainsi, nous avons pu, François et moi, voir l'oncle Léon, disparu depuis plus de cinquante ans. Le voir comme s'il était encore vivant. Mieux : comme il était à vingt ans, l'âge qu'il n'a jamais dépassé.

Un instant, l'idée de mettre ma grand-mère au courant me traverse l'esprit. J'imagine son émotion en découvrant son frère, en l'observant, tel qu'elle l'avait connu dans son jeune âge. Comme s'il avait lu dans mes pensées, l'oncle François les interrompt soudain :

– Tu dois te dire, comme moi, que ta grand-mère voudrait bien voir ce que nous avons vu, n'est-ce pas ? Mais il faut en oublier l'idée.

– Pourquoi ? Tu ne crois pas que...

– Je crois surtout que le choc serait terrible. Rends-toi compte, ce n'est déjà pas si évident pour nous, alors elle, comment le prendrait-elle ?

– Oui, tu as peut-être raison.

Je réalise d'un seul coup l'effet que pourrait produire cette vision sur ma grand-mère, déjà affaiblie par les événements présents. Nous décidons d'en rester à notre plan et rejoignons la troupe au moment de nous mettre à table.

6

Sans difficulté, je résiste au sommeil. L'excitation des dernières heures ne m'a pas quitté, et sur le matelas posé à même le sol, je songe à la frayeur de ces enfants, nés quelques années avant la guerre. Leurs nuits devaient être peuplées des cauchemars qu'ils vivaient le jour. Je pense à ma grand-mère, à l'oncle Léon qui a fini ses jours dans un camp en Allemagne. Et soudain, j'ai envie de pleurer. Toutes ces vies gâchées par la guerre, par la folie des hommes. Une fois de plus, l'oncle François vient me délivrer de mes pensées obscures. J'entends le loquet (ici on dit la ticlette) s'abaisser. Avec précaution, il pousse la porte. Je me redresse, pour lui signaler que je suis prêt. Mes parents dorment dans la même chambre, sur le canapé-lit ouvert. Ils ont le sommeil tranquille, bercé par les clapotis du Doubs, proche, rassurant. Mais tout de même, je prends garde de sortir en silence, mes habits sous le bras.

François est installé avec Marie-Lise dans la salle à manger. Ma tante ayant grandi dans cette maison, elle y dort toujours profondément. J'enfile un pantalon et un pull sur mon pyjama, et nous gagnons le sous-sol, afin de sortir sans bruit.

La nuit est fraîche et étoilée. C'est le mois de septembre et les parfums de l'automne se mêlent à ceux, un peu tardifs, de l'été. Au loin, on entend des cris, pareils aux pleurs d'un bébé, en plus puissant. Un renard, m'apprend mon oncle. Lorsqu'ils chassent, ils glapissent ainsi. La lune est ronde, et projette une clarté étonnante. Une chouette, sans doute, traverse sans un son l'horizon formé par le bout de la route. Seul le déplacement d'air produit par le mouvement de ses ailes est perceptible. Lorsque je suppose avoir aperçu sa forme laiteuse, elle a disparu.

Le chalet, dans le noir, devient franchement effrayant. C'est sûr, tout seul je ne m'y serais jamais risqué. Mais mon oncle a l'air confiant.

Nous franchissons la grille à l'entrée du parc, puis nous nous introduisons en grimpant sous la fenêtre du rez-de-chaussée. L'escalier grince, et donne à notre expédition un rien de lugubre, qui me hérisse le poil.

Bientôt nous sommes au grenier, et devant nous la petite fenêtre est là. Nous commençons par en nettoyer méticuleusement les carreaux, afin de ne rien perdre de ses surprenantes qualités. Puis nous guettons.

De nuit, le paysage n'est guère différent, et seul notre œil à présent exercé nous permet d'identifier les détails que le temps a modifiés.

L'attente risque d'être longue et, pour la tromper, mon oncle a apporté ce qu'il appelle du ravitaillement. Il sort de la poche intérieure de sa veste un flacon transparent, empli d'un liquide brun.

– C'est du brandy espagnol, dit-il. Tiens, d'ailleurs, c'est le yayo qui me l'avait rapporté d'Andorre, une fois. Je l'aimais bien, ce yayo. Je vais boire à sa santé.

Et aussi sec il avale une gorgée. Devant mon regard mi-étonné, mi-envieux, il secoue la tête de gauche à droite.

– Non mon vieux, malgré mes idées larges en matière d'éducation, il est exclu que je te laisse goûter à ce breuvage, certes divin, mais tout de même fortement alcoolisé. Mais, j'ai tout de même pensé à toi.

Il fouille alors dans une autre de ses poches, et en retire un mouchoir en papier roulé en boule. À l'intérieur, il a caché quatre morceaux de sucre.

– Un ou deux canards, à la rigueur, mais uniquement pour combattre le froid.

Je puise en souriant un petit rectangle blanc, sur lequel il verse lentement quelques gouttes de son précieux brandy. Je le croque, en aspirant la substance légèrement caramélisée. Tout de suite, une sensation de chaleur m'envahit. Je m'imagine la tête de mes parents s'ils me trouvaient là, au milieu de la nuit, à partager du brandy espagnol dans le grenier d'un vieux chalet, en compagnie de l'oncle François. Je crois bien que je prendrais la « ronflée » de ma vie, et François en ramasserait probablement autant.

– Regarde, lance-t-il soudain, là, dans le bois, ça bouge !

Nos regards se fixent sur les épais feuillus qui bordent la route, juste devant la maison. Des branches frémissent, et aussitôt, le même jeune homme saute en silence hors du bois, avale d'un bond le talus, et s'engouffre sur le balcon. Nous avons à peine eu le temps de l'apercevoir, tant l'action a été rapide. Pourtant, nous en jurerions, c'est bien de l'oncle Léon qu'il s'agit. En réalité, nous avons tellement envie d'y croire, qu'il est impossible qu'il en soit autrement.

François s'envoie une lampée de brandy et me prépare en vitesse un autre canard. Dans la précipitation, il fait couler l'alcool qui lui dégouline sur la main. Je prends le sucre et le fourre dans ma bouche, tandis qu'il se lèche les doigts. Immédiatement, j'ai les joues chauffées au rouge. La dose n'est pas la même, et si j'ai la gorge en feu, je m'oblige à n'en rien laisser paraître.

Plus rien ne bouge à l'extérieur. Le temps semble véritablement s'être arrêté. Je ne sens plus le froid, et la nuit qui s'étale devant nous, avec son clair de lune flamboyant, pourrait durer sans fin.

Est-ce l'effet conjugué de cette expérience et du brandy espagnol, mais je me sens comme dans un rêve, comme si j'étais à la fois là et ailleurs, peut-être endormi ? Et si tout cela n'était qu'un songe ? Je me tourne vers l'oncle François, qui me sourit avec gentillesse. Après tout, peu importe. Je suis bien, j'ai le sentiment de vivre des heures extraordinaires, et je renonce à chercher des explications.

Le premier, j'aperçois l'oncle Léon, qui traverse furtivement la cour.

– Regarde, là, c'est encore cuit... c'est encore lui... enfin, regarde, le voilà.

– Holà, dit François, je crois qu'on va arrêter les canards pour ce soir. Il est remonté dans le bois.

– Tu crois que c'est tout ?

– Je n'en sais rien.

– Écoute, tu entends, ces bruits ?

Un bourdonnement sourd s'élève peu à peu, semblant naître derrière la colline, puis bientôt emplit l'espace.

– Des avions, souffle François. Des avions de guerre. Tiens, les voilà !

Par-dessus les monts, venant de la vallée au nord de Saint-Hippolyte, surgissent des points noirs, qui vrombissent comme d'énormes insectes. J'en compte six. Ils survolent le moulin, le chalet, et je les perds de vue. Mais leur grondement demeure longtemps après leur passage. Comme un avertissement. Et mon oncle, à voix basse, se met à réciter les vers d'Aragon :

C'était un temps déraisonnable,
On avait mis les morts à table,
On faisait des châteaux de sable,
On prenait les loups pour des chiens…

Dans l'ambiance un peu lugubre de ce grenier, ces paroles prennent un sens tout particulier. Et je me surprends à les comprendre, comme sans doute le poète les avait écrites. Mon corps est tout entier secoué d'un long frisson. Je ne sais plus très bien si j'ai froid, si j'ai peur. Je commence à douter de l'année où je me trouve. Suis-je vraiment au vingt et unième siècle, ou alors en plein milieu de la Seconde Guerre mondiale, spectateur d'un temps déraisonnable ? Quelle époque vais-je retrouver en sortant du chalet ?

– Pierre, dans le bois. Ils sont plusieurs !

À cet endroit précis, qui doit être l'aboutissement d'un chemin dans la forêt jouxtant l'ancien moulin, trois ombres surgissent des branches. La première est sans erreur celle de l'oncle Léon. Derrière lui vient un autre homme, plus petit, habillé d'un long manteau et d'un chapeau noirs. Il donne la main à une femme, pour l'aider à descendre, puis lui entoure l'épaule de son bras. Sur une robe sombre, elle porte une veste épaisse, et va nu-tête.

Ils ont l'air aux abois, et guettent avec fièvre les alentours. L'oncle Léon les presse, également inquiet. Ils dévalent tous trois le talus, l'homme au chapeau prenant soin de sa compagne, mais à l'évidence, l'heure n'est pas aux délicatesses, et le jeune Léon les bouscule un peu, jusqu'à leur entrée sur le balcon.

Il nous semble entendre le cliquetis de la ticlette, puis nous relâchons notre respiration. François et moi échangeons un regard. J'ai les muscles du cou douloureux de la tension. J'étais là, avec eux, dans le bois, sur le talus, traversant la cour, aux aguets.

François se requinque à la source de brandy et, oubliant sa résolution, me tend le flacon et un sucre. Pour nous non plus, l'heure n'est plus aux délicatesses. Je mouille le canard avec modération, je tiens tout de même à conserver toute ma tête pour ne rien perdre de la suite.

Malgré l'alcool, il est vrai en faible dose,

le froid commence à se glisser dans mon corps, qui à présent réclame du sommeil. Je n'ai pas l'habitude de veiller autant : il est presque deux heures. Je me demande si l'heure que nous vivons est identique à celle que nous voyons à travers la fenêtre. Sans doute, car la lune semblait avoir la même clarté lorsque nous sommes sortis du moulin, tout à l'heure.

François, lui aussi, se frotte les mains. Après tout, plus rien ne va peut-être se produire. Pourtant, je le sens, l'un comme l'autre nous hésitons à abandonner notre merveilleux observatoire.

Tout à coup, nous apercevons les deux soldats allemands postés en face du moulin. Sans doute viennent-ils de Bief, à pied. Ils se sont arrêtés, et allument chacun une cigarette, tout en parlant. Bien que j'étudie l'allemand au collège, je ne saisis rien de leur conversation. Les rares mots qui me parviennent entiers me sont inconnus. Quant à mon oncle, il parle couramment l'espagnol, conserve quelques souvenirs scolaires d'anglais, et ignore tout de l'allemand et de ses déclinaisons.

En bandoulière, ils portent un pistolet mitrailleur, qu'ils gardent à l'épaule. Ils doivent être des sentinelles qui patrouillent la nuit. Ils soufflent la fumée dans leurs mains. À la température qui règne dans le grenier, je peux imaginer celle de l'extérieur. Eux aussi doivent se demander ce qu'ils font là, à des centaines de kilomètres de leur foyer.

Soudain, François me pousse du coude, nous évitons même de parler. Du balcon vient de surgir un homme. À sa démarche, nous reconnaissons immédiatement l'oncle Léon. Il épie les environs, mais son regard ne porte pas jusqu'à l'endroit où se tiennent les deux soldats. Ceux-ci, en effet, sont un peu en retrait du talus. Convaincu qu'il est seul, l'oncle Léon se redresse, et traverse la cour d'un pas assuré, en direction du Doubs. Pour cela, il longe le talus, puis contourne le marronnier. Caché par la maison, nous le perdons de vue, pour retrouver son image de l'autre côté. Les Allemands ne peuvent toujours pas le voir. Arrivé au bord des escaliers en pierre, qui permettaient déjà d'accéder à la rivière, l'oncle Léon s'agenouille. Il nous est impossible de distinguer ses gestes car il nous tourne le dos. Notre regard va de mon oncle aux soldats, mais ces derniers sont toujours occupés à discuter et à faire rougir le bout de leur cigarette.

Léon reste un long moment dans la même position. Le bruit du Doubs doit l'empêcher d'entendre les voix sur la route. Il a posé un genou à terre, et l'autre jambe est pliée. Les deux mains semblent affairées sur le sol. Les soldats ont fini de fumer. Ils hésitent un instant, puis se remettent en chemin, se rendant sans nul doute à Saint-Hippolyte.

Alors, un bruit métallique retentit, comme si on avait frappé sur une tôle. Depuis le chalet nous l'avons entendu distinctement. Et ce que nous redoutons se produit : les soldats allemands, eux aussi, ont perçu le son étranger à la nuit.

Ils se retournent d'un bond, et dans un réflexe surprenant, empoignent leurs armes, qu'ils tiennent braquées devant eux. L'oncle Léon s'est relevé, c'est lui qui a provoqué le bruit. Il scrute une nouvelle fois les alentours, pour être certain de n'avoir alerté personne puis, s'époussetant les mains, sort un petit paquet gris, et entreprend de se rouler une cigarette.

Les soldats reviennent vers la maison. C'est bien de là qu'est parvenu le son. Avec terreur, nous les voyons avancer, puis se séparer. L'un d'eux retourne sur ses pas et emprunte le chemin qui conduit à l'ancien moulin, tandis que l'autre va se poster sur la route, devant le talus. L'oncle Léon ne se doute de rien. Il fume à présent, paisiblement adossé contre le mur de sa maison. Dans quelques instants à peine, les soldats vont le découvrir.

Spectateurs impuissants, nous regardons avec horreur la scène qui se déroule sous nos yeux. Les Allemands approchent sans bruit, et que pouvons-nous faire ? Un sentiment d'angoisse me noue la gorge. J'implore mon oncle François du regard, mais il est tout aussi désarmé que moi. L'idée d'assister en direct à l'arrestation, ou peut-être même l'exécution de mon grand-oncle me révolte. Alors, sans réfléchir, je me mets à cogner du poing contre le carreau, au risque de briser la fenêtre. François semble sortir d'un songe et, sans un mot, m'imite. Nous tambourinons contre les vitres, qui résistent à nos coups, et l'incroyable se produit : les hommes du passé nous ont entendus !

7

Le soldat sur le chemin, le plus proche de nous, s'immobilise, et tourne la tête dans notre direction. Sous la surprise, nous avons cessé, et ne bougeons plus d'un pouce. Tout cela me dépasse vraiment, et je ne sais plus au juste de quoi j'ai peur, mais je suis bel et bien terrorisé. Ni l'oncle Léon, ni le deuxième soldat n'ont perçu nos appels. Un silence lugubre s'est emparé de l'ensemble de la scène, et nous retenons notre respiration, durant ces secondes qui paraissent des heures.

Le cri du premier soldat nous fait sursauter. Il s'adresse à son compagnon, lui signalant sans doute notre présence. S'il peut nous entendre, peut-il aussi nous voir ? La fenêtre fonctionne-t-elle dans les deux sens ?

Nous sommes dans la pénombre, et même si c'était possible, le soldat ne pourrait pas nous distinguer.

L'autre est venu le rejoindre, tandis que l'oncle Léon, prévenu par la voix brutale, s'est tapi contre le mur qui donne sur le Doubs. Comme un chat, il se glisse jusqu'à l'angle qui lui permet de voir à la fois le chalet, la route et une partie du chemin. Il découvre enfin les deux soldats allemands, qui se dirigent droit sur le chalet. D'instinct, il s'aplatit contre le mur, tout en gardant la tête suffisamment tournée pour les suivre des yeux.

Lorsque mon oncle François recommence à frapper contre les carreaux, je crois mourir. Oubliant toute prudence, je me mets à hurler :

– Mais t'es complètement fou ! Tu veux nous faire tuer ou quoi ? Arrête !

Je lui saisis le bras, et il éclate de rire.

– Regarde-les, c'est toi qui les attires, ils t'ont entendu.

En effet, les soldats se mettent à hurler, puis se précipitent en courant vers l'entrée du chalet, leur arme tendue. Je suis tétanisé par la peur, tandis que mon oncle n'en finit pas de rire.

– Tu ne comprends pas ? Ils ne peuvent pas nous rejoindre, nous ne vivons pas à la même époque. Ils vont pénétrer dans le chalet de 1943. J'ignore s'il était occupé alors, mais au pire, ils vont réveiller les pauvres gens qui devaient dormir tranquillement. Ils n'arrêtaient pas les plaisantins qui frappaient aux carreaux, rassure-toi. De toute façon, le seul moyen de sauver Léon, c'est de les attirer ailleurs. Regarde, il a compris.

L'oncle Léon n'est plus au même endroit, mais je l'aperçois gravissant le talus, et bientôt disparaître dans la forêt. Pendant ce temps, les soldats allemands sont invisibles. Ils ont dû investir le chalet, et comme le prévoyait François, nous leur sommes inaccessibles.

Jamais je n'aurais pris un tel risque. Pour moi, les soldats allaient nous retrouver dans ce grenier, et nous embarquer. À vrai dire, je ne suis qu'à moitié persuadé d'être tout à fait à l'abri. La frontière entre le présent et le passé est tellement mince... Sans doute pourrions-nous même converser avec des hommes du passé ?

C'en est trop pour ma petite tête, et je renonce à chercher plus loin, d'autres possibilités. Je me contente d'observer, un peu inquiet tout de même de savoir les soldats allemands dans le chalet où je me trouve. Cinquante ans plus tôt, pour moi, c'est aujourd'hui.

Je refuse le dernier sucre que me tend François, l'esprit déjà bien assez embrouillé. Les deux hommes armés ressortent. En réalité, nous discernons d'abord leurs voix et leurs visages rudes, qui se tournent vers nous, apparaissent dans la pâleur de la lune. Je frissonne en supposant qu'ils sont aussi venus dans ce grenier. Ils jettent leurs fusils sur l'épaule et reprennent lentement leur marche vers le village. À l'instant où ils tournent l'angle du chalet, je sens un immense soulagement m'envahir, et mes jambes devenir deux tubes en caoutchouc.

François me retient juste avant que je ne m'affale sur le sol poussiéreux.

– Viens, je pense que c'est suffisant pour cette

nuit, tu ne crois pas ?

– Oh oui, je n'en peux plus. Rentrons à la maison.

C'est une fois de plus une expérience troublante que de retrouver ces mêmes lieux, à un demi-siècle d'intervalle. Peu rassuré, je lance des regards inquiets vers la route, là où, quelques secondes plus tôt, se tenaient les soldats allemands. Quelques secondes, mais plusieurs années.

Je sens un mal de crâne monter peu à peu, alors que j'essaye de savoir si, réellement, c'est bien notre intervention qui a permis de sauver l'oncle Léon. Si nous n'avions pas été là, derrière cette fenêtre, que se serait-il produit ? Avons-nous modifié le passé ? La migraine m'interdit d'aller plus loin dans mes raisonnements absurdes, et je n'ai plus assez d'énergie pour en parler à François. Mon oncle, lui aussi, se laisse prendre au piège du temps et je le surprends à observer le coin de forêt d'où s'est échappé le jeune passeur. Peut-être cherche-t-il les traces de sa fuite.

Je retrouve avec délice la chaleur de mes draps, et à la vérité, je ne suis pas mécontent d'entendre la respiration régulière de mes parents.

8

– Debout, marmotte, tu sais l'heure qu'il est ?
– Déjà ? Mais je viens à peine de m'endormir.
Oh s'il te plaît, maman, encore un peu...
Bien entendu, ma mère n'est pas de cet avis.
Elle écarte les volets en bois et un soleil radieux
envahit la chambre.
– Tu as vu ce temps ? Il est presque midi,
dépêche-toi.
C'est bien ce que je disais : je viens à peine
de m'endormir. Naturellement, je ne vais pas
m'étendre sur ce sujet avec mes parents. Je me
lève sur un coude, et aussitôt mon mal de tête
s'éveille à son tour. Ce doit être la gueule
de bois. Bon sang, comme c'est douloureux !
La position allongée n'arrange rien, aussi je
décide malgré tout de me lever.
À la cuisine, je retrouve mes parents, ma tante
Marie-Lise et l'oncle François qui me lance un
clin d'œil. Il doit deviner ce qui m'arrive, car

un fin sourire traverse ses lèvres. Il boit un bol de café au lait, et je devine qu'il ne s'est pas réveillé beaucoup plus tôt que moi.

– Mamie n'est pas là ? je demande.

– Elle est allée voir le curé, pour les détails de l'enterrement, me répond Marie-Lise.

L'enterrement, c'est vrai. Avec tout ça, je l'avais presque oublié.

– Le corps du yayo est arrivé d'Andorre ? demande à son tour François.

– Il est au funérarium à Montbéliard, explique mon père. Il est arrivé ce matin à Mulhouse, par avion. Il sera à Saint-Hippolyte vers quatorze heures, pour la cérémonie.

Je hoche la tête, et m'aperçois que François fait exactement le même geste.

Une grosse casserole chauffe sur le gaz et le four est allumé. Les odeurs de repas se mêlent à celle du café. Avec le cacao que j'avale à petites gorgées, mon mal de crâne s'apaise peu à peu. L'alcool n'est sans doute pas seul responsable de mon état. Le manque de sommeil, ainsi que l'excitation de la nuit y sont aussi pour quelque chose.

Ma mère et Marie-Lise commencent à disposer les assiettes, alors que nos bols, à François et moi, sont tout juste vides. Nous les déposons dans le gros évier en faïence blanche au moment où la porte d'entrée s'ouvre pour laisser place à ma grand-mère.

Elle a les yeux rougis et porte sur le visage la fatigue accumulée ces derniers jours. D'un sourire triste elle salue ses enfants, sa famille. Derrière elle se tient Gérard. Les autres ne vont pas tarder à suivre, aussi je ne traîne pas à la cuisine en pyjama.

Je ne m'étais pas trompé : de retour à la cuisine, celle-ci est bondée. Le repas s'organise avec rapidité. Le vin et les viandes circulent, et je remarque avec amusement que l'oncle François ne boit que modérément.

Au cours de la discussion animée qui envahit la pièce, j'apprends que mon arrière-grand-père avait 95 ans. J'ignorais son âge, et je trouve ce nombre énorme. À peu de chose près, il était centenaire. Je trouve presque dommage de vivre aussi vieux, et de ne pas atteindre les cent ans. Dans le fond, ça lui était peut-être égal, au yayo, d'arriver à cent ans.

À l'autre bout de la table, j'entends la voix basse de François, qui s'adresse à ma grand-mère. Il est assis à côté d'elle et je distingue mal ses paroles. Aux regards qu'il me lance furtivement, je soupçonne que la conversation pourrait m'intéresser. J'organise une approche stratégique, en allant chercher le pain sur le buffet, puis me place en silence derrière eux. Je devine, à la réponse de ma grand-mère, que François lui parle du vieux chalet.

– Il a été construit au début du siècle, pas plus tard que 1910, à mon avis.

– Vous avez connu ses habitants ?

– J'étais gamine, tu sais. Mais je sais que c'était une famille de notables qui l'avait fait bâtir. Lui était architecte. Ils sont partis pendant la guerre.

– Pendant la guerre ? dit François, vous pouvez me raconter ?

– Oh, c'est bien simple. C'étaient des gens sans histoires. Ils étaient restés à Saint-Hippolyte au début des événements, n'ayant à priori rien à craindre des Allemands. Et puis, une nuit, ils ont été réveillés par deux soldats. Ils étaient furieux, et ont fouillé dans toute la maison. Le couple dormait au rez-de-chaussée, et leurs deux enfants en bas âge à l'étage. Ils n'ont pas vraiment été inquiétés, mais cette visite les a terrorisés. Le lendemain, ils pliaient bagage. On ne les a jamais revus.

– Vous savez quand cela s'est passé, exactement ?

– Bien sûr. C'était juste la nuit avant que notre Léon se fasse arrêter.

Aucun doute, ma grand-mère parle bien de la visite des Allemands, cette nuit. La visite que nous avons, François et moi, provoquée par nos appels. Mon oncle fige un instant ses yeux sur les miens, et ces mêmes pensées nous traversent.

Mais l'autre information est encore plus précieuse : si le temps s'écoule régulièrement à travers la fenêtre, cette nuit, l'oncle Léon va se faire arrêter par les soldats allemands.

9

Beaucoup de monde est réuni devant l'église de Saint-Hippolyte. Les visages graves nous regardent passer. Ma grand-mère est montée en voiture avec son fils aîné, et elle arrive en même temps que nous.

Les autres enfants sont là. De nouveau, des embrassades. De nouveau, des hoquets de larmes. Le temps est froid et ensoleillé.

Nous attendons. Je ne sais pas encore quoi, mais tout le monde attend. Je repère l'oncle François, juste derrière Marie-Lise, elle-même contre sa mère. Puis je comprends : la foule s'écarte lentement, et fait place au corbillard. J'entends en sourdine les explications d'un gros monsieur, qui était quelques instants plus tôt dans la cuisine de l'ancien moulin. Le corps arrive tout juste de Montbéliard, c'est pourquoi tout a pris un peu de retard. De toute façon, répond son interlocuteur, le yayo n'est plus pressé.

François est trop loin, trop occupé, et ce n'est pas le moment. Pourtant, je brûle de commenter avec lui le dernier chapitre de notre incroyable histoire. Lui aussi me lance des regards éloquents, sans doute aussi impatient que moi.

À présent, tout s'agite. Quatre hommes en costume emportent le cercueil dans l'église, et nous pénétrons à leur suite.

Finalement, ce n'est pas aussi effrayant que je l'avais pensé. C'est la première fois que je vois un cercueil, et j'oublie vite que c'est le corps de mon arrière-grand-père qui est à l'intérieur. En fait, je trouve même l'objet assez beau. Le bois est clair et verni, les poignées dorées.

La cérémonie commence. Le curé de Saint-Hippolyte raconte la vie du yayo, et j'apprends alors bon nombre de choses que j'ignorais sur lui. Son enfance en Espagne, dans la région de Valence, sa venue en France, à l'âge de quatorze ans, pour travailler aux tanneries de Saint-Hippolyte. Le retour de ses parents, et sa décision de rester ici, pour y faire sa vie.

Puis la messe se déroule, avec sa succession de chants, de prières, mes frères levez-vous, mes frères veuillez vous asseoir, etc.

Tout cela dure près de deux heures, et franchement, je décroche assez vite. Je marmonne à la fin le *Notre Père qui êtes aux cieux*, dont j'ai retenu les paroles par habitude, et m'éveille tout à fait lorsque l'un de mes jeunes cousins passe dans les rangées avec une corbeille tendue de velours rouge.

Nous sommes dehors, et les mêmes hommes chargent le cercueil dans le corbillard, ainsi que les couronnes de fleurs. Le cimetière étant assez éloigné, nous nous y rendons en voiture.

Nous formons une colonne derrière le véhicule noir. C'est comme un mariage. Mais en triste.

Tous n'ont pas suivi, et devant la tombe nous ne sommes plus très nombreux. L'air est vif et la forêt a pris des couleurs étonnantes. Depuis là, je contemple Saint-Hippolyte. De l'autre côté du Doubs se dessine l'ancien moulin, et, séparé par les murs en ruine, le vieux chalet.

Les paroles du curé m'arrachent à mon observation. Dans le trou béant, je vois disparaître le beau cercueil verni, avec ses poignées dorées. Et c'est alors seulement que j'ai envie de pleurer. En silence je me presse contre ma mère, et ma vue se trouble soudain, baignée par des larmes inattendues. Une boule me serre la gorge. Je comprends enfin.

Je ne sais plus très bien ce qui suit. Dans le trou est enfoui mon arrière-grand-père. Le yayo. Nous nous éloignons pendant que des ouvriers remettent la terre. C'est fini.

10

Lorsque François vient me secouer le bras, je dors profondément. Nous avons pourtant convenu de ressortir cette nuit, mais la fatigue, je crois, et la pesanteur de la journée ont eu raison de ma volonté. J'ai succombé au sommeil sans m'en rendre compte.

François est dans la chambre, et prend mille précautions pour être silencieux. Mes parents respirent calmement, nous sortons sur la pointe des pieds.

Comme la nuit précédente, j'enfile à la cuisine mes habits par-dessus mon pyjama. Cette fois, je prends une veste, celle de mon père, accrochée au porte manteau dans le couloir. C'est une lourde canadienne en peau de mouton retournée, qui m'écrase de son poids, mais me tient chaud. Même mes mains sont à l'abri, ne dépassant pas des manches.

Sitôt dehors, la fraîcheur me redonne des

couleurs. Le ciel est splendide, rempli d'étoiles et au milieu d'elles, une lune toute ronde nous éclaire. François se dirige alors du côté de la rivière, et non vers le chemin. Je le suis, et je devine rapidement ce qu'il cherche. Il est courbé, le nez vers le sol, et doit essayer de retrouver ce qui a pu provoquer le son métallique, presque fatal à l'oncle Léon. À mon tour, je me baisse, et nous quadrillons l'endroit d'où, nous semble-t-il, était venu le bruit, là où le jeune Léon était accroupi. Il y a là des planches vermoulues, des briques en tas, du bois à fendre, mais rien qui ait pu produire un tel coup. Bien entendu, cinquante-cinq ans se sont écoulés.

Nous abandonnons la recherche, et rejoignons notre observatoire : la petite fenêtre dans le grenier du vieux chalet. Rien n'a bougé. À travers les carreaux, le temps a reculé et, à présent, je repère sans difficulté les modifications. J'en découvre même d'autres.

Une voix extérieure attire notre attention. Tout d'abord, nous ne percevons aucune présence.

Seulement cette voix, hachée, qui s'exprime en français, avec un fort accent allemand.

– C'est bien là, vous êtes sûr ?

Un autre homme répond, lui aussi en français. Il doit s'agir d'un villageois, car son accent est franc-comtois.

– Oui, c'est la maison blanche, le moulin.

– Combien sont-ils ? demande la première voix.

– Il y a le Léon, c'est sûr. Avec un peu de chance, vous trouverez aussi des Juifs.

C'est alors que nous les voyons. Ils sont juste à l'angle du chalet, et marchent lentement. Plusieurs soldats, une dizaine au moins, suivent un officier, lui-même accompagné d'un civil.

– Denis avait raison, me souffle François, regarde cette ordure, il vend l'oncle Léon aux Allemands.

– Tu le connais ?

– Je te rappelle que je vis à une autre époque. Ce type doit avoir mon âge, il est probablement mort aujourd'hui.

Le groupe s'est arrêté. L'officier allemand fait face à l'homme, et l'observe en souriant.

– Merci, monsieur Joseph.

– Nom de Dieu, s'écrie François, le père Joseph !

– Quoi ? Qui c'est ce père Joseph ? je demande.

– Il vit encore. Je l'ai croisé il n'y a pas un mois ! Ce salaud partage son temps entre la chapelle et l'église. Tu me diras, il doit en avoir des choses à se faire pardonner.

– C'est incroyable, l'oncle Léon est mort à vingt ans, par sa faute, et lui est encore vivant, cinquante-cinq ans plus tard !

– Personne n'a prétendu que la vie était juste, Pierre.

Le père Joseph serre la main que l'officier lui tend.

J'essaye de graver son visage dans ma mémoire, afin de le reconnaître si je viens à le rencontrer à Saint-Hippolyte. Il porte une casquette, et j'entrevois à peine ses traits, pendant qu'il s'en retourne, son marché accompli.

Les soldats avancent sans bruit sur le chemin. Un pistolet à la main, l'officier précède ses hommes. Un instant, je suis tenté de renouveler notre sauvetage de la veille. Je lève le bras, prêt à frapper contre la vitre, mais François me retient.

– Non, Pierre, c'est inutile. Tout au plus enverront-ils deux d'entre eux visiter le chalet, et ils ressortiront aussitôt. Rappelle-toi les mots de ta grand-mère : l'architecte et sa famille sont partis durant la journée. Cette fois-ci, nous n'y pouvons rien. L'histoire va se dérouler comme prévu, et cette nuit, l'oncle Léon va se faire arrêter par la Gestapo.

Un froid soudain m'envahit tout entier. Tout va à présent se précipiter.

Arrivés au pied du balcon, les soldats se séparent. Sous les ordres de leur chef, la moitié des hommes se dispose autour de la maison. Un devant les escaliers, deux autres sous la façade nord, un quatrième du côté de la rivière, et le dernier devant nous, qui surveille l'arrière du moulin.

Le dispositif extérieur mis en place, le reste de la troupe pénètre sur le balcon, à l'assaut des escaliers. Quelques instants à peine et des coups répétés retentissent, suivis des appels de l'officier allemand.

D'abord, rien ne se produit. Le silence revient. Les hommes dehors tiennent leurs fusils tendus, dirigés contre la maison, comme si c'était elle, l'ennemi. De nouveau, les poings cognent la porte d'entrée. C'est toujours celle-là aujourd'hui, celle que j'ai poussée plusieurs fois ces deux derniers jours.

En même temps, une lumière éclaire faiblement la fenêtre du premier étage. Puis la porte s'ouvre, et la voix de l'officier se mêle à celle d'une femme : mon arrière-grand-mère, Laure, que je n'ai jamais connue.

J'entends les soldats s'introduire avec fracas dans le couloir, et la violence des bruits, des cris, me terrorise. Subitement, je comprends la peur de ma grand-mère quand, enfant, elle a vu ces hommes enfoncer la porte de sa chambre.

François est aussi crispé que moi. Il a posé les mains contre les montants de la fenêtre, et ne fait plus aucun mouvement. À peine respire-t-il. Cette fois-ci, pas de brandy. Les heures que nous vivons, ou plutôt qui revivent pour nous, sont trop importantes.

Il doit sentir mon regard sur lui, car il tourne lentement le sien vers moi. Tout cela a eu lieu à cause de la dénonciation du père Joseph.

Les fenêtres de l'étage se sont aussi allumées, et je peux suivre la progression des soldats dans la maison au vacarme qu'ils provoquent. À présent, c'est sûr, ils sont en haut. Ils ont dû piétiner avec leurs bottes le parquet sur lequel est posé le matelas où je dormais, il y a à peine une demi-heure. Puis ils ont ouvert les portes des deux chambres du fond, celle de ma grand-mère, et celle de Léon. Ils l'ont sans doute déjà pris, alors qu'il enjambait la fenêtre.

Le tumulte a brusquement cessé et fait place à des pleurs. Des pleurs féminins, déchirants. Par la porte d'entrée, restée ouverte, nous entendons un groupe dévaler les escaliers. Les cris, cette fois en allemand, déchirent la nuit et parviennent jusqu'à nous.

Les soldats restés en faction à l'extérieur rejoignent les autres au pied du balcon. Puis, ensemble, ils remontent le chemin.

De face, nous les voyons tous avec netteté : l'oncle Léon, marchant la tête haute devant le pistolet de l'officier, à son côté le couple qu'il abritait. Nous reconnaissons l'homme et la femme qui l'accompagnaient hier.

Sans un mot ils longent le chalet, et nous les perdons de vue. Quelques secondes plus tard, le bruit sourd d'un moteur nous apprend qu'ils sont partis.

11

Ma mère est debout dans la chambre, et a entamé les préparatifs pour le départ. Les draps du lit de mes parents sont en tas sur le sol. Nos habits s'empilent dans la valise. Mon père n'est pas là. Sans doute boit-il un café à la cuisine.

J'ai peu dormi, une nouvelle fois. Je me rattraperai dans la voiture. J'ai les yeux ouverts, et devant moi la glace de l'armoire me renvoie l'image de la fenêtre aux volets ouverts. Je réalise encore mal la portée de ce que je viens de vivre. L'arrestation de l'oncle Léon, cette nuit, m'a laissé un goût amer. François avait raison : ma grand-mère n'aurait pas supporté de voir une telle scène. Ou plutôt de la revoir, puisque elle, elle l'avait vécue.

François ! J'espère qu'il n'est pas parti.

– Tiens, tu es réveillé ? dit ma mère, alors que je tourne la tête vers elle.

– François et Marie-Lise sont encore là, maman ?

– Bonjour. Oui, nous allons encore manger ensemble à midi. Nous partirons juste après le café, pour ne pas être trop fatigués ce soir, en arrivant.

– Quelle heure est-il ?

– Dix heures et demie. Va te débarbouiller, ta grand-mère a dû te préparer une trentaine de tartines.

Je file à la salle de bains, au sous-sol, non sans avoir ouvert la porte de la cuisine, et salué à la volée ma grand-mère, mon père et l'oncle François.

Quelques instants plus tard, je me retrouve assis à leur table. Habitué aux nuits de bal, côté orchestre, François résiste mieux que moi au manque de sommeil. Il plaisante avec ma grand-mère, la taquine, puis, comme s'il avait attendu ma présence, se met à parler de l'oncle Léon.

– Vous vous souvenez de la date où l'oncle Léon a été arrêté ?

– Il y a peu de chances que je l'oublie jamais,

dit ma grand-mère en s'asseyant. C'était le 27 septembre 43.

– Mais alors, reprend François, c'était hier ! Enfin, je veux dire, cinquante-cinq ans plus tôt, c'était hier, jour pour jour.

– C'est juste, poursuit ma grand-mère. C'est curieux, hier, c'est son père qu'on enterrait.

Les beaux yeux noirs de ma grand-mère s'emplissent de larmes, qu'elle parvient à ne pas laisser couler.

À cet instant entre Denis, un journal roulé sous le bras. Son arrivée dans la pièce détend l'atmosphère.

– Vous savez qui est mort la nuit dernière ? lance-t-il. Le père Joseph.

– Le père Joseph !

Nous avons crié en même temps, François et moi, et trois paires d'yeux se tournent vers nous.

– C'est déjà dans le journal ? dit mon père.

– Qu'est-ce que tu crois, Michel ? répond Denis. Ici, on n'est pas à Paris, les nouvelles vont beaucoup plus vite que chez vous ! Non, je plaisante, je l'ai appris ce matin, en allant au pain. Mais dis donc, Pierre, tu le connaissais, toi, le père Joseph ?

– Eh bien... euh...

– Je lui en ai parlé hier, me sauve François.

– Ah bon, dit ma grand-mère, pourquoi as-tu parlé à ce gosse de ce vieux fou ?

– En fait, dit François, un peu comédien sur les bords, je lui expliquais qui était l'oncle Léon, ce qu'il avait fait pendant la guerre, tout ça. Et je ne sais pas pourquoi, mais je suis comme Denis, j'ai l'impression qu'il a dû être dénoncé.

– Et le père Joseph là-dedans ?

– Eh bien justement, j'ai toujours eu dans l'idée que ce bonhomme n'était pas très clair, et qu'il avait le profil type de l'ex-collabo.

– En tout cas, dit ma grand-mère, il paraît que pendant la guerre, il aurait vendu des gens aux Allemands. Ma foi, tout ça, c'est du passé, et s'il est mort, que Dieu ait son âme.

Denis s'assied avec nous, et je sens que ma grand-mère est heureuse d'avoir auprès d'elle l'un de ses fils, deux de ses gendres, et l'un de ses petits-enfants. Elle ouvre une porte du buffet en Formica, et en sort une bouteille d'anisette. Elle pose trois verres sur la table, dans lesquels elle verse avec précaution le liquide transparent. Puis elle emplit une cruche d'eau fraîche au robinet, qu'elle dépose sur la table.

– Voilà, vous voulez bien faire le reste, n'est-ce pas ?

Denis s'empare du pot, et fait couler l'eau, qui se trouble aussitôt au contact de l'anis. J'ai droit à un verre de jus de fruits, et tous les quatre, nous buvons en silence.

– Tu te rappelles, la mère, dit Denis en regardant au travers de son verre, quand on était gosses, on allait chercher l'eau à la citerne.

– Oui, c'est vrai. Vous n'avez pas connu ça, dit ma grand-mère à mon père et à l'oncle François. Ici, on n'a eu l'eau courante qu'en 67, l'année de la naissance de Francine, ma dernière.

– Dans la journée, poursuit Denis, on voulait tous y aller. Mais le soir, on avait trop les jetons.

– Oh, et puis je ne voulais pas, réplique ma grand-mère, à cause du Doubs.

– À cause du Doubs, reprend François, elle était où, cette citerne ?

– Au coin de la maison, précise Denis, juste devant les escaliers en pierre.

– Ah bon, poursuit François, soudain intéressé. Et en 67, elle a été détruite ?

– Pas du tout, dit ma grand-mère, elle est toujours là, simplement on ne l'utilise plus. Et pour éviter que des gosses ne tombent dedans, j'ai fait déposer des briques sur le couvercle.

François semble soudain tout excité. Il me fixe, mais je ne comprends pas son regard. À l'évidence, quelque chose m'échappe, que lui a deviné. Contre toute attente, il avale d'un trait le contenu de son verre et se lève brusquement.

– Bon, dit-il, je vais jusqu'à la voiture. Tu m'accompagnes, Pierre ?

Sitôt dehors, il me prend par le bras et

m'entraîne vers l'angle de la maison. Nous arrivons devant le tas de briques.

– Viens, aide-moi, dit François.

– Mais que veux-tu faire ?

– Souviens-toi, Pierre, l'avant-dernière nuit, quand l'oncle Léon a failli se faire prendre par les deux soldats, c'était à cause d'un bruit métallique qu'il avait provoqué, à peu près à cet endroit. Ça pourrait bien être le couvercle de cette citerne.

– Et alors ?

– Et alors, il n'est pas venu y puiser de l'eau, tu l'as vu comme moi. S'il est sorti en pleine nuit, qu'il a ouvert et refermé ce couvercle, c'est qu'il avait une bonne raison.

– Et laquelle, tu penses ?

– Je ne sais pas, mais peut-être a-t-il caché quelque chose. Et comme il n'est pas revenu ici après son arrestation, ce quelque chose s'y trouve peut-être encore.

Là, il m'épate, l'oncle François ! Jamais je n'y aurais songé tout seul. Et du coup, je me mets à déplacer les briques avec ardeur.

Bientôt, nous en venons à bout. Tout autour, l'herbe a poussé, mais juste sous l'empilage, recouvert d'une mousse verdâtre, un carré de tôle apparaît. Nous touchons au but. Et soudain, une idée me traverse.

– Tu sais, François, depuis cette nuit de septembre 43, la citerne a dû être ouverte un millier de fois au moins. Si quoi que ce soit a été caché là-dedans, ça aura déjà été découvert. Ou alors détruit par l'eau.

– Ce n'est pas sûr. L'oncle Léon était un résistant, un passeur, quelqu'un d'habitué aux planques. Il a dû penser à ces détails. Cette fameuse nuit, il est resté un long moment devant cette citerne. Allons-y, on verra bien.

La poignée qui permet l'ouverture est une mince bande de métal, complètement rouillée et aplatie par les briques. Dès que mon oncle essaye de la dégager, elle se brise comme du bois sec. En fouillant dans la pièce qui sert de débarras, nous dénichons un burin de maçon.

François parvient à le glisser sous le couvercle. Je l'utilise comme un levier pour décoller la plaque, et mon oncle, la saisissant du bout des doigts, la fait basculer.

Aussitôt s'échappent du trou obscur des dizaines de grosses araignées brunes, aux corps ronds comme des billes. Je recule de deux pas, tandis que François ne semble pas gêné par leur présence.

— Bien sûr, dit-il, j'aurais dû y penser, l'intérieur est tout noir.

— Attends, mon père a toujours une lampe de poche dans la voiture. Je vais la chercher.

Dans la boîte à gants, je trouve sans difficulté la lampe torche, et je reviens au pas de course vers François. La torche dans une main, il glisse le bras, l'épaule et la tête dans la citerne.

Au bout de quelques secondes à peine, j'entends sa voix caverneuse, amplifiée par la cavité.

— Ça y est, j'ai trouvé !

Il se dégage lentement, puis me tend la lampe.

— Là, sur le côté, il y a une espèce de patte

métallique qui dépasse. Un paquet est attaché avec du fil de fer. Je vais essayer de le décrocher. Il s'enfonce dans le noir, et j'admire son courage. L'ouverture est étroite, il manœuvre difficilement. Je peux deviner, aux mouvements de son bras resté à l'extérieur, que la tâche n'est pas simple. Mais je sais aussi qu'il est obstiné, et quelques minutes plus tard, il se glisse comme un serpent, un sourire de triomphe aux lèvres, et à la main un paquet noirci.

Nous nous installons un peu plus loin, sur le banc près du marronnier. Le mystérieux colis caché par l'oncle Léon, un demi-siècle plus tôt, est entouré de toile de jute poisseuse et fermé par un lien en ficelle. François le coupe facilement. Il déroule délicatement la toile, et découvre une pochette en cuir noir, comme un gros portefeuille. À l'intérieur, trois feuillets jaunis sont pliés en quatre. Le papier est taché, mais s'est conservé en bon état. L'oncle Léon savait ce qu'il faisait.

Avec précaution, pour ne pas l'abîmer, François

déplie ce qui semble être un courrier. Trois pages noircies d'une écriture serrée, datées du 26 septembre 1943. Leur lecture est difficile, mais nous parvenons à en saisir le sens. Il s'agit d'une lettre, que des parents adressent à leurs deux enfants. Ils expliquent les raisons de leur fuite, leur vie menacée par le nazisme. Plus loin, ils leur promettent de les faire passer à leur tour, dès qu'ils auront atteint la Suisse. Cette lettre leur parviendra grâce à la complicité d'un passeur nommé Léon. Nous comprenons que les deux enfants, Sarah et Samuel, sont placés chez leurs grands-parents, en attendant des retrouvailles qui n'ont sans doute jamais eu lieu. Les parents terminent : votre père et votre mère qui vous aimeront toujours, puis une signature difficilement déchiffrable.

J'ai la gorge nouée en parcourant ces mots que des enfants orphelins n'ont jamais lus. Le couple arrêté en même temps que l'oncle Léon a dû subir le même sort. Peu de Juifs revenaient des camps.

Nous restons silencieux, et j'aperçois une larme couler de l'œil de François. Nous ne savons plus que faire de notre découverte, tant elle nous bouleverse. J'ignorais qu'on pouvait être aussi ému après tant d'années.

12

Plusieurs mois ont passé, et j'ai repris la routine de ma vie. L'école, la maison, les copains. Bien souvent, je pense à ces trois jours passés à Saint-Hippolyte, et ils sont peu à peu devenus un souvenir troublant, à tel point que quelquefois je ne sais plus très bien quelle est la frontière entre la réalité et le rêve.

Nous ne sommes pas retournés dans le Doubs pour les fêtes de fin d'année, et je n'ai plus eu de nouvelles de François, jusqu'à ce jour de printemps, où je reçois cette lettre :

Mon cher Pierre,

Si j'ai attendu tout ce temps pour t'écrire, c'est pour avoir suffisamment de nouvelles à t'annoncer. Depuis l'automne et notre invraisemblable aventure, je n'ai pas perdu de temps.

La lecture de cette lettre m'a tant touché, que j'en ai conçu un projet un peu fou : retrouver la trace de cette famille. Un peu comme si d'avoir découvert ces feuillets me rendait responsable d'un vœu à accomplir. J'ai procédé par tâtonnements, et par témoignages. Après de longues recherches dont je t'épargne les détails, j'ai fini par retrouver un homme qui faisait partie du même réseau de passeurs que l'oncle Léon. Il l'a d'ailleurs bien connu. Il m'a appris que les familles aidées par le réseau venaient toutes de Belgique, et transitaient jusqu'en Suisse, via la France, grâce à une organisation assez complexe, dont le réseau du Doubs était une partie.

Tant de couples sont passés qu'il est incapable de se souvenir de celui qui nous intéresse.

Il me fallait donc me tourner vers la Belgique, mais je possédais bien peu d'éléments. Alors, j'ai eu l'idée de déchiffrer la signature au bas de la lettre. Tout seul, c'était impossible, mais un graphologue y est parvenu. Dès lors, je connaissais le nom de la famille, ainsi que les prénoms des deux enfants.

Ce bagage en poche, je suis allé en Belgique. À Bruxelles, j'ai pu consulter les archives de cette période et découvrir en premier lieu que les parents avaient bien péri pendant la guerre. Mais je ne perdais pas l'espoir de retrouver au moins l'un des deux enfants, Samuel en l'occurrence, car le plus probable était que Sarah s'était mariée et avait changé de nom. Un autre voyage a été nécessaire, cette fois à Anvers, pour réussir à contacter ce monsieur, aujourd'hui âgé de 64 ans. Il m'a reçu chez lui, et m'a confirmé qu'en effet, il a une sœur prénommée Sarah, qui vit comme lui à Anvers, et que leurs parents ont disparu durant la guerre.

Lorsque je lui ai montré la lettre de ses parents, il a fondu en larmes. Il est resté assis un long moment, à pleurer comme un enfant. Il a ensuite appelé sa sœur, qui est arrivée une demi-heure plus tard. Sans un mot, il lui a tendu la lettre. Elle l'a parcourue des yeux, puis ils se sont jetés dans les bras l'un de l'autre.

J'ai passé la soirée avec eux, et ils m'ont raconté le départ de leurs parents, leur vie à Anvers, chez leurs grands-parents, qui les ont élevés. Et l'attente. Cette interminable attente de nouvelles. Ces nouvelles, que leurs parents leur avaient promises. Et toi et moi,

Pierre, nous avons honoré cette promesse.

Un dernier mot : depuis quelques semaines, le vieux chalet à Saint-Hippolyte a repris vie. Un petit-fils de l'architecte, qui en a hérité, projette de venir y passer ses moments de repos. Son premier travail a été de changer toutes les fenêtres et de brûler les vieilles, réduisant les carreaux en miettes.

François

Le couplet que fredonne l'oncle François (p. 21)
est extrait de la chanson *Est-ce ainsi que les hommes vivent*
(Paroles de Louis Aragon, musique de Léo Ferré)
© Les nouvelles éditions Méridian, 1959.

Achevé d'imprimer en janvier 2018 sur les presses de la NIL - 58500 Clamecy
Dépôt légal : avril 2005 - N° d'impression : 801132 - N° d'édition : 2017-2202

Imprimé en France